가짜 동맹 ④

글·그림·케냠

DASAN
COMICS

Contents

가짜 동맹

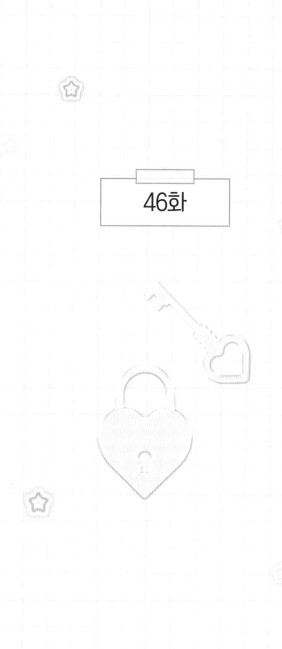

46화

사귀면
뭐 하는데?

짜악..

이···

이 자식
잘 받아치는데?!

그건…

이제부터
잘 생각해봐!

여기서부턴
혼자 갈 수 있어!

엄마가 보면
곤란하니까!

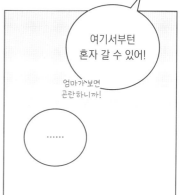

……

쿡

참나.

만지작..

윤세이, 너
남자친구 있지.

응?

진짜야?

진짜 맞아,
나 세이랑
같은 동네 살잖아.

어제 집 가는데
얘랑 어떤 남자애랑
손잡고 가는 거
봤어.

키가 한…

그래,
재하만 했는데!

스끈..

힐끔

재야?!

그리고 딱 봐도
안 친해 보이잖아.

에이~
쟤랑 사귀겠냐.

재하는
공부만 하는데.

소곤

맞지?

음~
나 약속 있어서
먼저 가볼게!

···근데
이상하다?

왜?

전에 둘이
같이 하교한다고
했었는데···.

나도 모르게
걸음이 자꾸
빨라진다.

아직
안 왔나?

안녕.

이 느낌은
뭘까?

살랑‥

…안녕.

가슴께가 계속
간지러워
미칠 것 같아.

소곤‥

저 사람
지나가면 가자.

복도에서
눈이 마주쳤을
때부터

응.

수학 학원

알겠지, 유은아?
열심히 하자,
제발~~!

네….

와… 무슨
문제 한번 물어봤다고
잔소리 20분을 하냐.

결국 제대로 알려주지도 않았으면서.

어?

원지ㅁ…

!

아….

완전 양아치 집단이잖아.

……

야, 나 잠깐만.

주말에 네가 까톡으로 물어본 문제들 내가 다 알려줬지 않아~^^?

친절하게!

쌤한테 물어보는 게 싫으면 주변에 다른 잘하는 애한테 물어봐.

또 물어보려고 왔냐?

김재하씨

아… 그냥
네가 제일 나아.

생각만 해도
왠지 모르게
어색함

귀찮

아니면 차라리
정리해서 한꺼번에
물어보든가.

시간 내서 만나면
다른 사람이
볼 것 같아서 싫은데.

가깝다고
오해받기도 싫음

그럼 한꺼번에
물어볼 테니까…

언제
우리 집 올래?

……

나랑 친해?

싫어.

이것도 오바냐?
네가 놀이터에서
도와준다며.

네가 ㅈㄴ 우니까.

왜 나 빼고
다 잘해?

울지 마,
울지 마…!
내가 도와줘?

케냠네컷

…하고 싶다는 게
이거였어?

응, 너랑 꼭
찍고 싶었어!

귀여워ㅎㅎ

원래
이런 거 있어도
안 썼는데 왜 너한텐
다 씌워보고 싶지?

다른 것도
써볼까?

?

쩍

야… 나한테
씌워보고 싶은 게
이거야?

날놀리냐

너도 나
이상한 거
쓰게 했잖아.

15

네네~ 빨리 찍기나 하자!

천천히 가, 넘어져.

찰 칵

잘 나왔는데?? 다른 거 쓰고 한 번 더 찍자!

……

괜찮지, 응?

하…

…그래, 너 원하는 대로 해.

불쑥

맞춰줘서
고마워.

……

토끼가 싫으면
고양이는 괜찮나?

딸랑

새로 나온
프레임 예쁘던데
그걸로 찍자!

오…

반 친구

반 친구

윤세이 너
남친 있지

ㅁ친.

세이야!

기웃

누구랑 왔어?
어? 뒤에…

기웃

재하?!

샤샤샥

부담스러우니까
사귀는 건
비밀로 하기로 했는데!!

들키는 건 좀….

윤세이, 왜 그래?

지금 뒤에…!

어? 재하야!

너 이런 것도 찍는구나~!

누구랑 같이 왔어?

잠깐, 가지 마, 김재하!

안에 있는 친구가 얼굴 보이는 거 부끄러워한다고 말해!

소곤

빨리!

……

안녕….

누가 봐도 호기심 가득한 표정

…미안한데 얘가 얼굴 보이는 건 좀 부끄럽대.

뒤에 누군데?

소곤..

…다른 건
밝혀도 된댔지.

아…

응.

이름이
알려진다는 건,

레스토랑 가나에서 진설아 본 썰

실물 ㅈㄴ 예뻤음
그 전에 열애설 났던 피디랑 같이 있던데
둘이 결혼할 건가 보더라.

옆에 세아랑 재하도 있었는데
나갈 때 대화내용 들어보니
둘이 사귀는 듯? 인증사진 푼다.

김재하, 윤세이~
너네 사귀는 거
소문 다 났어~

맞아, 뻬북에
목격담 떴던데.

…굉장히
부담스럽다.

*2화 참조

19

그리고 때때로
약점이 되기도 한다.

내가 세이 엄마가
그런 줄 알고
그랬겠냐...!

근데 어떻게
헤어졌길래 그래?

내 이야기가 나오면 꼭
부모님 이야기가
따라오는 것과 같은.

김재하도 나도
그 부담을
잘 알고 있다.

신경 쓰지 마,
사귀는 거
사실도 아니잖아.

소문나면
우리한테도
좋을 게 없는데.

제발 계속
조용히 지낼 수 있으면
좋겠다.

중학생 때
그렇게 말한 적도
있었지….

물론 이게
엄청 큰일은
아니지만!

우리
둘이 사귀는 건
지금처럼
티 내지 않는 게
좋을 거 같아.

왜냐면
너도 알다시피
굳이 알려져서
좋은 건 없잖아.

괜찮지?

괜찮아.

……

…근데, 서로
사귀는 사람 있는 건
말해도 될 것 같아.

모르겠다,
이건
네 맘대로 해!

톡

움찔..

그렇게 되었기에,
사귀어도 크게 실감은
안 날 줄 알았다.

우리
어디가?

따라오기나
하세요~

하지만
나도 모르는 사이에,

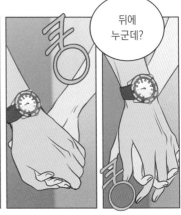

뒤에
누군데?

변화는
시작되고 있었다.

그냥…

여자친구…
인데.

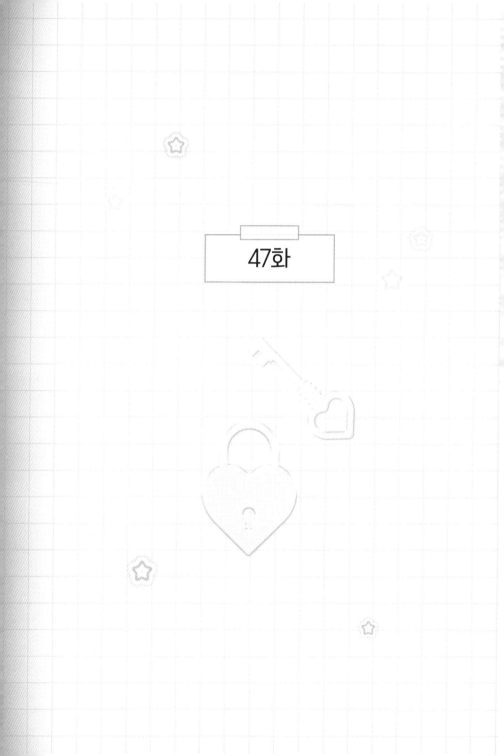

47화

이러면
프라이버시
존중해서
가겠지

너 여자친구
있었어?!

더 흥미로움

여자친구.

누구야,
알려줘!!

김재하 입에서 나온
그 생소한 단어를
들으니 기분이 정말…

우리 학교야?

스윽..

정말…

이상했다.

그냥 지금
빨리 나가자.

만지작..

…아,
난 갈게.

진짜로 얘가
부끄럽대.

짝

24

…김재하가
여친이 있다니.

하하하하,
너 때문에
나도 당황했잖아!

너 진짜
뻔뻔하다!

하나도
안 당황한 거
같은데.

아,
또 생각해도
웃기네!

나 여자친구야?

다시
말해봐!

왜—

—맞잖아?

…맞아.

25

…이제
과외하러 가자!

왜 그렇게 봐,
해도 되잖아.

……

…어.

내일 벌써
방학식이네?

나 너 따라서
도서관 봉사
신청했다~!

그래?

그리고… 응?
나 잠깐 전화 좀.

이번 주만 과외 때문에 요일 옮겼대.

아~

근데 직접 물어보는 게 낫지 않아?

다음 주 방학 특강부터는 다시 같은 시간에 듣는다는데.

쫄겍

왜냐면 너 세이

말하지 마.

앞으로도 말하지 마

......

불쑥

원지민, 왔냐. 옆에 여친?

아니.

0원 원하는 강사

나름 치열했던
1학기가 끝나고
방학에 접어들었다.

오늘은 방학식!

뒤뚱

뒤뚱

어?

슥

그리고…

—데….

툭

안 무거워?!

응.

안 그래도
되는—

김재하, 너도
도서관 봉사하네.

김재하와는 여전히
남들 앞에서 남이다.

너네 재하 여친
누군지 알아?

멈칫

김재하가
여친이 있어?

내가 어제
케냐네컷 찍으러 갔는데
봤어~

얼굴은 못 봤는데
교복이 우리 학교던데?

세이야,
네가 재하랑 그나마
잘 아니까 물어봐주라!

안 친해도
그 정돈 괜찮지 않냐?

얘들아, 미안.
그거 나야.

31

재하야~!

나니까 제발
말하지 마!

세이가 너한테
궁금한 거 있대~!

아, 제발…

응?

그런 거 물어보면
진짜 뻘쭘하단
말이야…

여기서
나라고
어떻게 말해

아냐, 얘네가
장난친 거야….

아….

그럼
세이야—

—지나가게
잠깐만 나와주라.

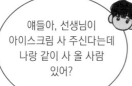

얘들아, 선생님이 아이스크림 사 주신다는데 나랑 같이 사 올 사람 있어?

까…

그거 게임으로 정하자~!

깜짝아….

이렇게까지 놀랄 일은 아닌데 방금 왜 그랬지.

와하하

달랑

달랑

나 게임 일부러 졌다~ 잘했지?

내가 들게

에이~ 됐어!

그리고 보니… 방학하면 너 기숙학원 들어간다고 했었는데.

응, 내일 가.

서운해?

아니~
어차피 4일밖에
안 되잖아?

미리
말해줬기도 했고~

잘 다녀와!

우리
떨어져 있으면서
각자 몫을
열심히 합시다~

톡

움찔

그리고 너 오면
여러 가지
같이 하는 거야.

난 앞으로
너랑 하고 싶은 게
많아!

...응.

근데 김재하 너
애들 앞에선
'세이야'라고 잘하더라?

너도
성 붙이고
부르잖아.

아닌데?
난 지금 당장도
떼고 부를 수 있어!

듣고 싶어?

봐—

—재하야~
ㅋㅋㅋ

재하야,
우리 앞으로
성 떼고 부를까?

빙글

빙글

내가
했으니까 너도
똑같이 성 떼고
불러줘야지,
재하야~

…그만해.

너도 해봐,
나 진짜 듣고 싶어!!

빨리~
내 소원이야!

표정 진짜
웃기다.

……

알겠어,

!

… 세이야.

가짜 동맹

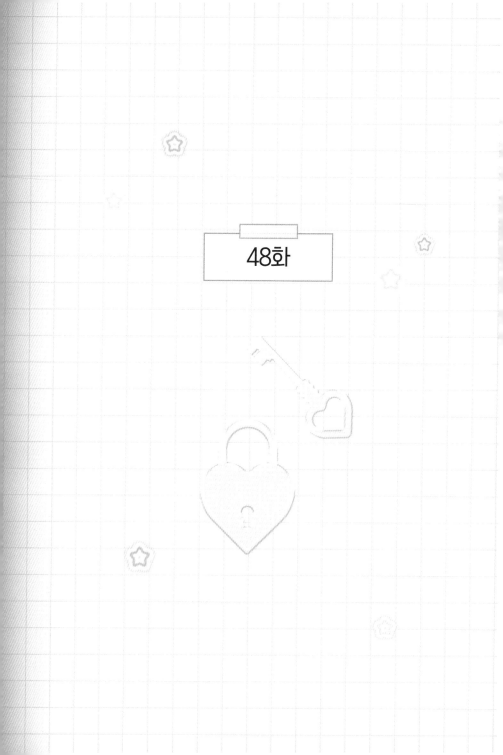

48화

두근

두근

아.

혹시
지금 이거…

?

……

하하.

톡

빨리 가자.

왜 웃어?!

내 얼굴에
뭐 묻었어?

안 묻었어,
안 묻었어.

확인
안 해도 돼.

근데

방금 일부러
그런 분위기를
피한 것 같은데….

기분 탓이겠지.

뭐—
왜 그렇게 봐?

!

스ㅅ

아이스크림
다 먹었길래.

꼬옥..

너 진짜
손잡는 거
좋아한다~!

아, 맞다.
나도 너 없는 동안
할 거 있어.

뭔데?

나 내일도
도서관 나와.

봉사 시간 채워야 해서
가능한 날짜에 전부
도서관 봉사 신청했어.

너도 바쁘겠네.

내일부터 친한 애들
많이 와서 괜찮아…

다들 각자의 자리에서
스스로의 몫을 해내기 위해
열심인 여름.

방학이라고 해도
고등학생은
할 일이 많다.

하아암

김재하는 공부 습관을
더 다잡기 위해 4일 동안
기숙학원에 들어갔고,

나는…

4일 동안
봉사 시간을
채우러 왔다.

이 짓도 나일짼데
왜 할 때마다
안 끝나냐.

나도 닦을 책장
다섯 개나
남았어…

까톡

전화했었네
학원에 있어서
이제 봤어 미안

김재하다!!

알아알아

너 오늘 오지?
몇 시에 도착해

저녁 늦게
도착할 것 같아

그래??

그럼 오늘은
못 보겠네ㅜㅜ

전화할게

세이야,
선생님이
너 부르셔.

김재하, 넌
집 가면
뭐할 거냐?

쉬어야지.

안 놀고?

넌 대체
무슨 재미로
사냐~

강아지라도 키우면
집 들어갈 때 달려오는 거
보면서 웃기라도 할 텐데.

동물
안 좋아해.

43

진로 글쓰기 대회
금상 받았던 게
세이 너지?

네가 쓴 글
읽어봤는데
참 잘 썼길래~

그거
말해주고 싶어서
불렀어.

상 받았어?
축하해~

아…
감사합니다.

고마워

이런 건
자랑했어야지~!

수연아, 너도
진짜 열심히 한 건
알았는데,

선생님

이번 글쓰기는
진로 관련 얘기를
얼마나 자세히 적었는지가
중요했어.

800

네가 전에
물어보러
왔었다길래.

우리 오랜만에
끝나고 영화 볼까?

아… 네.

좋아!
마침 나 진짜
심심했…

난 안 가도
괜찮아.

응? 아까 네가
영화 보고 싶다고
했잖아.

아니… 그냥
지금은 좀.

야, 임수연.
너 오늘 아파?
어디 가.

괜찮아?

왜 불러,
난 진짜…

…괜찮다니까.

…바닥에 물기 있어, 조심해.

미끌

…고마워.

얼굴을 보자마자,

친구인 수연이가 얼마나 상을 받고 싶어했는지 모를 리가 없었다.

차라리 갑자기 불편해하던 이유를 몰랐으면 좋았을 텐데

세이 벌써 다 썼어?

…축하해, 세이야.

그리고 목소리를 들으니 더욱, 그 이유가 눈에 보여서…

46

…조금 슬펐다.

이래서 알리기 싫었는데.

세이야, 무슨 일 있어?

…엄마, 엄마가 해외 촬영 가 있어서 말을 못 했는데…

나 진로 글쓰기 대회에서 금상 받았어.

그래? 너무너무 축하해, 우리 딸~!

근데 표정이 왜 그래?

나도 유치한 거 아는데…

진심으로 축하해주는 사람이 별로 없는 것 같아서 서운해.

세이야, 엄마가 남한테 너무 많은 걸 기대하면 안 된다고 했잖아~!

대신 내가 그만큼 더 기뻐해줄게!

고마워

그래도…

친구니까 좋은 일이 있으면 나누고 싶었는데…

마음은 동등하게, 준 만큼 받고 싶은데.

김재하라면 어떻게 반응했을까?

부웅—

걔도 당연히 상 받고 싶었을 거라 말 안 했지만…

그래도 축하해주지 않을까?

조금 보고 싶…

우리 불꽃축제 보러 갈까, 세이야?

응? 바로 받네.
봉사 끝났어?

빨리 와~
네 얼굴
잊어버리겠다!

너한테
하고 싶은 얘기도
진짜 많은데….

어, 완전
힘들었어~

고생했어.

어떤 거?

음, 뭐냐면…!

……

내가 사실…

응.

상을 받았는데
말할 사람이 없어서…
유은이도 옆에 없었고,

굳이
연락하기도
그런데 너는…

쭈굴..

좀
다르니까….

큰 건 아니고
그냥 진로 글쓰기 대회
상…

앞으로
좋은 일 있으면
나한테 말하면
되지.

축하해!

진짜 축하해.

진짜로 기쁜 듯한
웃음기 섞인
목소리를 듣자

왜인지…

…고마워.

기분이
들뜨기 시작했다.

근데 너 어디야?
버스는
아닌 것 같은데….

아, 생각보다
빨리 도착해서
지금 집 앞이야.

벌써
집 앞이라고?!

응, 왜?

삐빅

삐빅

!

삐빅

쿵

저 문 너머에
김재하가 있다.

이제 나에게는…

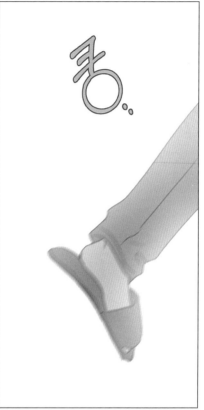

김재하가 있다.

?

뭐지
끊겼나

따리릭

넌 대체
무슨 재미로 사냐.

강아지라도 키우면
집 들어갈 때 달려오는 거
보면서 웃기라도 할 텐데.

무슨
강아지를…

벌컥

김재하!

!

윤세이?!
너 왜 여기에…!

대롱
대롱

조심해,
넘어져.

—나
보고 싶었어?!

난 너무너무
보고 싶었어!

그러니까—

꽈악

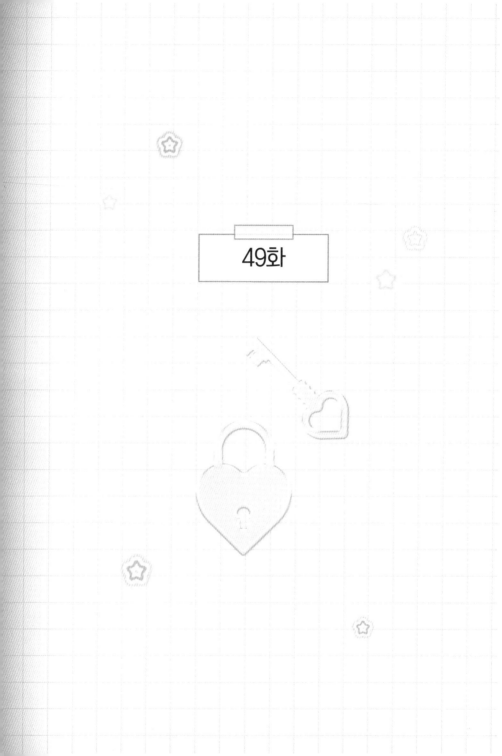

49화

뭐 하고
놀지?

......

음... 일단,

윙

......

놔주라...
나 짐만
정리하고 올게.

싫은데~
4일 만에 만났으니까
좀만 더 이러고 있어.

아, 우리
영화 볼까?

촬싹

...좋아.

빨리 정리하고
나랑 놀아줘.

붕
붕

안 놔줘서
이러고
방까지 감

오늘 수업 듣는데
진짜 잘 뻔했어.

와글

와글

그 쌤이 좀
졸리게
말하긴 해ㅋㅋ

첫인상은 그냥
매번 세이 옆에 있는
애였는데,

······

…이젠 꽤 자주
마주치는 것 같은
기분이 든다.

같은 학원
다니니까
어쩔 수 없나

장유은,
몇 번 타?

00번.

나도 방향 같은데.
앞으로 같이 갈래?

? 아니, 이 번호
안 탈 때도 있어.

아, 그래?
그럼 대신
학원 올 땐…

올 땐
걸어서….

아~ 걸어서.
그럼…

하하.

싸ㅡ아

아….

미안,
들으려던 건
아닌데….

ㅋㅋㅋㅋ
너 모쏠이지.

어쩌라고.
보자마자
욕하냐?

옆에 애가 그렇게
같이 가고 싶다고
말하는데…!

그게 뭐,
그만 웃어.

너
좋아하나 보지.

하하

정색

아, ㅅㅂ 무슨 그런 말을 해, 개싫어

왜 싫어ㅋㅋ 괜찮게 생겼던데.

ㅋㅋㅋㅋ

양아치 같아.

양아치 같다고…?

피어싱 했잖아.

나 저격해?

그럼 난 대체 뭐냐…

끼익..

아, 꼭 그런 건 아닌데…

버스 왔다!

작작 좀 밀ㅈ…

우르르

콱

…!

아~ 그래?

근데 너 모르지.

너 나랑도 같은 버스 타더라.

빨리 타야 되니까 좀 놔줘.

…안 넘어지게 잡아준 건데^^

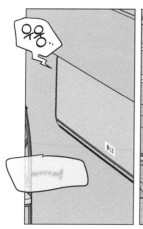

우웅..

이거 지금
넥플 로맨스
1위래.

와삭

와삭

힐끔

이게 진짜
재밌나.

))

......

이제 추워.

에어컨
꺼줄게.

꾸물

꾸물

에이~
김재하,
끄지 마!

살짝 추운 정도일 때 이불 속에 들어가서,

그 시원함과 따뜻함을 동시에 즐기는 게(?) 더 기분 좋단 말야!

시원따끈♡

뭘 모르시네~

왜 떨어?

너도 추워?

붙어 있자~

쟤네 또 뽀뽀한다, 할 때마다 부끄러워하는 것 좀 봐!

적응이 안 돼서.

김재하, 저거 봐.

특

… 지금도
놀리잖아.

방금…

야, 전부터
궁금했는데…

너 왜 조금이라도
그…런 분위기만 되면
피하냐?

어? 무슨…

일부러 피하는 게
눈에 보이니까
더 신경 쓰이잖아!

난 심지어 지금은
보보할 생각도
안 했거든!

이상하게
쳐다본 건 너면서…

……

그냥 해도 돼.

…지금도.

두근.

두근..

…그럼

이렇게…?

……

눈 감아줘.

질끈..

응.

가짜 동맹♡

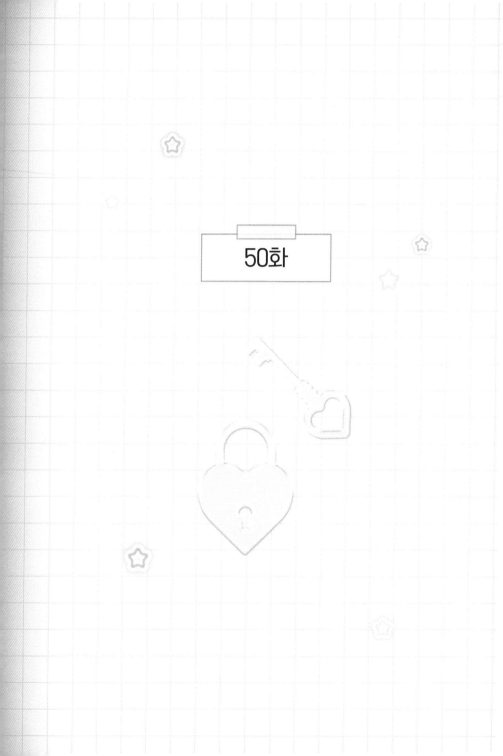

50화

우리 이제
진짜로 그런 거 묻고 하는
사이는 아니잖아.

그냥 해도 돼.

…지금도.

그럼…
눈 감아줘.

이렇게…?

……

응.

뽀뽀 쪽!

눈.

…알았다고.

진짜
지금 해??

펑

쪼...

잠깐만,

방금 뭐
터지는 소리
나지 않았어?

창문
쪽에서…

!

…봐,
내 말이 맞잖아.

터지는
소리….

……

놀라서
나도 모르게
막았어.

근데 아직
불꽃놀이 할 시간
아닐 텐데?

불꽃놀이?

저거 엄마들이 간 불꽃축제에서 하는 거야.

사실 보고 싶어서 찾아봤었어.

9시부터 한대

드르륵

아….

근데 방금은 임시로 쓴 건가 봐.

신경 쓰지 말고 그…

잠잠..

계속…?

진짜
한 건 아니지만
그래도 좀….

그… 영화 끝났는데
이제 오늘 하기로 한
축가 연습할까?

좋아.

근데 왜 갑자기
너만 치우나?!

나도 같이해!

괜찮아,
그냥 앉아 있어.

……

야, 나한테
너무 잘해주지 마~

이러다 내가 너보다
훨~씬 널 더 좋아하게 되면
어떡할래?

어….

그렇게까지 단호하게 없다고 말할 일인가?

완~전 부담스러울 수도 있어!

그럴 일은 없어.

네가 나한테 잘해준다는 말 취소야.

뚱~

그냥 꽃 주고 귀엽게 부르면 되지!

이 부분이 뭐가 그렇게 중요해?

아니, 음이 틀렸다니까?

너 진짜 모든 걸 꼼꼼히 하려는 건 바꿀 필요가 있어.

…뭐 해?

… 고맙다,
이 여우야.

째릿‥

불꽃놀이
시작한다.

아까 사실
보고 싶었다고
했잖아.

펑○

펑‥○

방금 거
봤어?

펑○

봤어….

펑‥○

아무리 생각해도
내 주변의 너무
많은 것들이 변했다.

아직 결혼식도 안 했는데 사진이 벌써 나왔네.

자다 깼더니 배고프다... 응?

솔직히 이 변화에
적응할 수 있을지는
잘 모르겠다.

빌렸던 건데 잊고 있었어!

*2권 193쪽 참조

얘는 왜 돌려달라는 말을 안 해?!

......

김재하는 알까?

걔 옆에만
가면…

깨끗한
냄새가 난다.

꼬옥..

만약 아까
불꽃 소리가
안 들렸다면…

분명

그럼 다음번엔
진짜로…

아, 너무
신경 쓰여.

… 전에
어쩌다가 해버렸지만
사귀는 사이에 하는 건
다르잖아.

지금은 확실히
서로…
좋아하니까.

솔직히 영화나
축가 연습은
하나도 집중이
안 됐어.

계속
눈이 가서….

그런데 뭐?

이러다 내가 너보다 훨~씬 널 더 좋아하게 되면 어떡할래?

그럴 일은 없어.

그럴 일은 없어?

어떻게 알아, 그런 걸….

툴툴

어떤 때는 널 진짜 잘 안다고 생각했다가도

가끔은 네가 무슨 생각을 하는지 전혀 모르겠어.

사아..

아까 그런 말은 왜 한 거야?

혹시 나한테 기대하는 건 있어?

뒤적

10년을 알았지만
나는 요즘
네가 더 궁금해.

재하 아직
안 잤어?

잠이 안 와서요.
엄만 왜
안 주무세요?

커플들이
헤어지고 싶은 이유를
맞히는 재미도
있다니까~!

신박하지?
궁금하지?

어~ 요즘
〈하차연애〉
챙겨보는 중이라.

헤어지고 싶은 남녀들을
모아놓은
연애 리얼리티 프로

네~
왜 헤어지고
싶대요?

맞춰드리는 중

음~ 아직 공개 안 돼서
자세히는 모르겠지만
뭐 특별한 이유가 있겠어?

계기가 어떻든
마음이 처음과
같지 않아진 거지.

근데…

꿀 꺽

재하 너 요즘 좋은 일 있지.

최근 표정이 요하게 밝다?

아… 표정 보면 바로 알 수 있어요?

그럼~ 내 아들인데 딱 보면 알지.

……

엄마한텐 비밀인가?

그냥… 늘 그랬듯이,

제가 정말 운이 좋았어요.

정말로….

김재하!

나를 절대 좋아하지 않을 줄 알았는데.

윤세이….

!

와락

안녕!

조잘

문제집 갖다줘서 고마워!!

난 그냥 살짝 말했는데…!

조잘

내일 친구들이랑 공부하기로 했는데 너네 집에 문제집을 두고 왔어.

다 다 다

너 스터디 카페 갈 때 가져다주면 안 돼? 많이 멀어? 응?

…살짝?

하핫.

대신 답례로 뭐 사 줄게, 먹고 싶은 거 있어?

레몬에이드

그래, 카페 들렀다 가자.

근데 누구랑 공부해?

아~ 일단 유은이 집에서 하는 거라 유은이랑, 또…

헉!

화악

응?

언제 나왔어…?

얘, 얘들아…

가짜 동맹

51화

비비적

멀ー찍

쟤네 방금 안고 있었던 거 내가 잘못 본 건 아니지?

……

어…

미안해, 숨기려고 한 건 아닌데 어쩌다 보니 최근에 사귀어가지고…!

아, 놀라긴 했는데 괜찮…

그만 얘기할까.

힐끔

언제부터
사귀었어?

......

잠깐 디데이가…

음,
저번 주
부터니까~

뭐야, 얘.

우리
오늘 9일

서로 좋아한 진
오래됐지.

지익..

화르륵

응?!

오래됐다고?
진짜야?

눈치..

무슨 그런 말을
이렇게 평온하게
하는 거야?!

또 혼자만
아무렇지
않게…!

맞잖아.

......

…맞아.

난 갈게.
공부 열심히 해,
얘들아.

문제집
가방에 넣었어

쿵.. 쿵

재는 평온한데 왜 또 너만 어쩔 줄을 몰라.

김재하는 원래 엄청 뻔뻔하거든.

거의 맨날 나만 당황해, 나만….

지민이도 당황했겠다.

…나중에 자세히 얘기하자.

아니 난 별로….

응… 학교에선 비밀로 해줘—

—아!

멈칫

왜?

김재하한테 에이드 안 사 줬다.

엄마, 저 형 기분 안 좋나 봐.

……

들어와, 엄마는 아직 안 오셨어.

내가 어쩌자고 여길…．

중얼

세이랑 같이 공부한다니까 네가 따라온다며.

전에는 죽어도 오기 싫다더니

소꾼

사실이라 할 말 없음

그러니까 오늘은 문제 풀이 꼭 도와줘

쟤네 둘 내가 모르는 사이에 친해진 것 같아.

사아..

음.

뭐야, 잘 푸네.

아니, 이게 시험만 보면 참 안돼

왜 자꾸 식은땀이 나지.

얘들아, 나는 이만 갈게.

오늘 컨디션이 좀 별로여서….

괜찮아?

응, 별건 아니야

그래도 우리 오늘 많이 했다. 잘 가, 세이야.

95

나도 슬슬 가볼게.

넌 엄마 오실 때까지 기다려.

뭐?

너 집 멀잖아.

엄마가 차로 데려다준대.

아… 그러실 필요는 없는데. 일 끝나면 피곤하시잖아~

기다리려면 너랑 단둘이 있어야 하잖아.

그냥 타, 지금 가는 것보단 빠를걸?

……

알겠어, 기다릴 테니까 그럼 장유은 너—

나랑 얘기 좀 하자.

?

지금도
하나 봐.

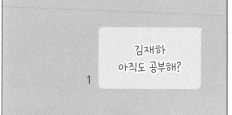

김재하
아직도 공부해?

1

답례로 뭐 사줄게~
먹고 싶은 거 있어?

레몬에이드

배 아프긴 한데…
음료 정돈
마셔도 괜찮겠지.

레몬에이드 한 잔,
초코라떼 한 잔
맞으시죠?

올 여름:
서머 시즌음료와
함께 하면 돼!

레몬에이드
한 잔 주세요.

네~
다른 필요하신 건
없으세요?

어~ 그럼
초코라떼도
한 잔 주세요.

…네.

……

빵○빵○

부웅..

!

스ㄱ

나야.

꼬옥..

같이 가고 싶어서
왔는데
반갑지? 좋지?

언제부터
기다렸어?

자,
네가 마시고
싶어 했던 거

좋아 안 좋아~
그것만 말해.

…좋아.

음~
솔직해서 좋아요,
그리고 별로
안 기다렸…

……

왜 그래?

아,
아니야….

기다리면서 생각했는데
우리 다음에
놀이공원 갈래?

좋아, 언제…

윤세이?

…너 어디
안 좋지.

여기가… 아,
나 못 걷겠어,
잠시만.

배?

배가 아파?

그냥…
조금 전부터
아프긴 했는데.

오늘
뭐 먹었어.

음…

천천히 말해

…아까 초코라떼만
몇 모금 마셨고…
아,

어제 불닭 먹고
늦게 자긴 했어.

…김재하
생각 하느라
잠 다 깨버렸네

네 생각 하느라
잠이 안 와서.

… 장난치지
말고.

식은땀이…

진짠데…

어제 내가
해도 된다고 했으면서
막아서 미안.

쭈굴

놀라서
나도 모르게 그랬는데
네가 오해할까 봐
좀 신경 쓰였어….

괜찮아,
신경 쓰지 마.

아니… 진짜로 싫어서 그런 거 아니니까 다음에 꼭 하자?

……

…알겠어, 몸 많이 안 좋으면 119 부를까?

그 정도 아니야…. 택시 타고 우리 집 앞까지만 데려다줄 수 있어?

응, 우선 아주머니께라도 연락드리자.

엄마 집에 없어, 동생 데리고 해외촬영 가서….

그럼 이럴 때 누구한테 연락하라고 하셨어?

아저씨?

……

혼자 두고 가서 미안해.

고등학생은 정말 공부 때문에 어쩔 수가 없네.

괜찮아

당분간 무슨 일 있으면 아저씨한테 연락하고.

……

역시 내 곁은,

익숙해지지
못할 것들
투성이다.

영원히…

앞으로
같이 살 사람이니까
편하게 생각해.

새아빠잖아.

이럴 땐 누구한테 연락하라고 하셨어?

노력해도 편해지지 않는 것들이 있단 말이야, 엄마.

그게 말처럼 쉽나.

아저씨?

음... 그냥 집에만 데려다주면 안 돼?

혼자가 더 편하고 익숙해~ 알잖아—

—원래 외로워, 원래….

다음부턴 아프면 나 기다리지 말고 집이나 병원 가, 응?

택시 3분이면 온대

찰랑))

네가 마시고 싶다고 했던 게 계속 생각나서 그랬다고.

…미안해, 내가 생각이 짧았어.

오늘은 어쩔 수가 없었는데….

왜…

…귀찮게 해서
미안해.

스르르

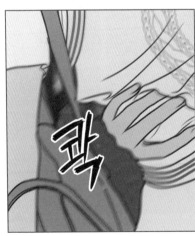

콱

안 귀찮아.

왜 나 때문에
그렇게까지 해….

오늘 세이
우리 집에서
재워도 돼요?

핑동

왜 비밀번호
안 누르고
초인종을 눌러.

응?

엄마….

가짜 동맹

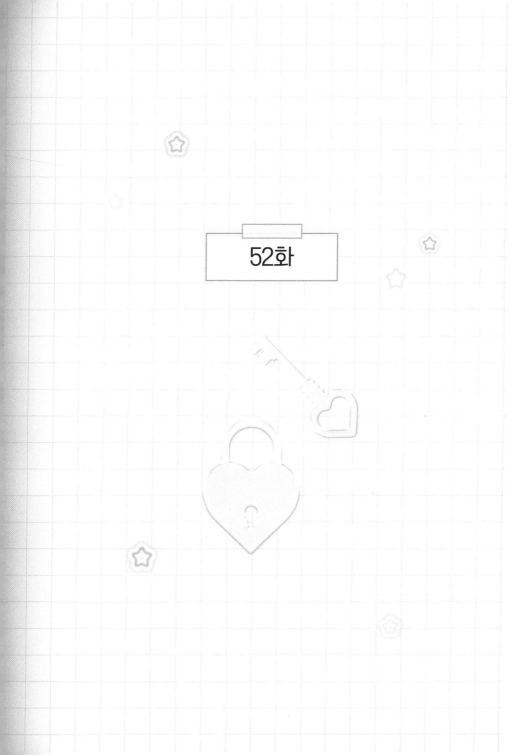

52화

세이 엄마는 뭐라셨어?

톡을 남기긴 했는데 해외에 계셔서 아직 안 보신 것 같아요.

약은 먹었고?

약은 먹였지… 근데 계속 괜찮다고 하면서 병원을 아침에 간대.

세이야, 지금은 좀 어때.

부담X100

약 먹었더니 좀 괜찮아요.

그냥 잘게요….

그래, 또 안 좋으면 꼭 불러!

네… 감사합니다.

재하가 잘 데려왔다, 혼자 있는 것보단 우리랑 있는 게 낫지.

……

걱정하지 말고 푹 자, 세이야.

그래서…

할 얘기가
뭐야?

귀찮

!

너.

덥석

내가
세이 좋아한 거
제발 좀 티 내지 마.

뭐?!
내가 언제
티를 냈어?

네가
세이 관련 일만 생기면
은근히 나 신경 쓰는 거,

남자친구 생겼나?
대체 누구…

…?

눈치

힐끔

ㅈㄴ
티 나니까
하지 말라고.

아, 나는…

머뭇..

나 위해서
하는 행동이야?
그냥 네가 신경 쓰여서
하는…

미안.

나도 모르게
그랬던 것 같아.
신경 쓰였다면 미안해,
모른 척하도록 노력할게.

…놀리려는 거
아니었어.

…또
할 말 없게
만들어.

오늘 일 이전에
이미 접었으니까
미안해할 필요까진
없는데.

? 접은 사람이
왜 우리 집까지….

그건 그냥
나도 모르게…
하.

해결됐으니
이 얘긴 그만하자,
세이가 날 좋아한 적도 없는데
이런 얘길 하는 의미가
있냐.

하암

애초에 걘
나 같은 애를 만나면
안 되지.

ㅈㄴ
부정적이네.

무슨 그렇게까지…
지금은 어쩔 수 없게
됐다만,

그래도 세이가 널
나쁘게 생각한 적은
없었어.

유은아,

그건
나도 알아~

세이가 누굴
미워하는 거 봤어?

근데 싫어하지
않았다고 해도
좋아한 건 아니니까.

너 참…
착하네.

꼭 위로하지
않아도 될 것까지
위로해주고.

생긴 거랑
다르게.

뭐냐…
그 말은.

아니~
갑자기 네가 왜
세이 친구인지
알 것 같아서.

왠지 소름

reat!

정색

억지 위로가 아니라
그냥 세이 주변 사람 중
네가 제일 낫게 생겼으니까
한 말이지.

좀만 바꾸면 그나마
제일 가능성 있다고
생각했어서….

울론 지금은
안 되지만…

…낫다고?

빙글
빙글

아~
나 잘생겼다고?

장난 ~ㅋㅋ

텁

ㅁ웃
내가 언제…!

아님 말고

…아.

… 그래,
좀 생긴 건
맞으니까.

허.

그런 말도
할 줄 아네?

혼자
ㅈㄴ 진지하길래
그냥 말한 건데.

그래, 그럼—

톡

—어떻게
바꿀까.

우선
피어싱을….

어떻게 하면
더 괜찮아지는데?

기대도 안 한
칭찬 들어서
기분 좋음

…야.

응?

스ㅂ 그놈의 피어싱.

그래그래, 고마워. 너도 괜찮지~

우선 표정도 밝게 바꾸고 말도 좀 가려가면서 하고~ 또… 머리도 기르면?

또 비꼬네 이 ㅅㄲ.

진짜야, 너 저~기 벽에 걸린 머리 긴 사진 아주 잘 어울리던데 ㅎㅎ

유은 중학교 졸업 사진

긴 머리를 좋아하는구나?

아~ 그래서 세이를….

……

너한텐 무슨 말을 못 하겠다.

어머님 언제 도착하신대?

나도 몰라, 제발 빨리 좀 오셨으면 좋겠다.

이렇게까지
배가 아파질 줄은
몰랐어.

음…

어떡하지?
토할 것 같아.

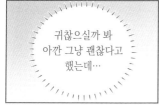

귀찮으실까 봐
아깐 그냥 괜찮다고
했는데…

똑똑

윤세이,
복통약 가져왔어.

못 움직이겠어.

물약이라
냄새가 좀 독한데
그래도 효과는
좋대.

몸 괜찮아?

어어,
나 빨리 마실래.

그냥 내가
컵 잡아줄까…

어떡하지?

이제 아주머니랑 아저씨도 오시겠지?

귀찮지 않게 해드리려다 더 사고를 쳤어. 아, 왜 나는 맨번...

김재하는 날 뭐라고 생각할까?

쥘끈

괜찮아.

약 다시 가져왔으니까 일단 마셔.

이불이랑 바닥에 흘린 건...

토닥 토닥

내가 치우면 돼, 걱정하지 마.

그래도 진짜 미안...

살살

!

톡

열은 좀 내렸네.

매번 이런 걸
다 참고 괜찮다고
해주는 거야.

도닥..

왜?

벌떡!

갈아입을래!

옷도 가져오긴 했는데
움직이기 힘들면
안 갈아입어도 돼.

너 찝찝할까 봐

그래,
도움 필요하면
말해.

괜찮아.

약 먹고 나니까
일단은 움직일 순
있을 것 같아.

그리고 뭘 자꾸
도와준다는
거냐,

이젠 아예
갈아입혀주기라도
하게?

장난~

......

…필요해?

아니….

씻고
갈아입을 거면
욕실까진
부축해줄게.

뻔뻔한 놈,
이젠 다
받아치네.

김재하는
진짜로 내가 씻고
자리로 돌아올 때까지
부축해주고,

잠자리를
말끔히
치워주었다.

시트까지
갈아주다니….

일단 자고 있어,
필요하면 꼭
부르고.

너무 아파 보이면
네가 가기 싫다고 해도
구급차 부를 거야.

알았다고…
야, 김재하.

저거 다
녹았겠다.

저러면 맛없는데
그냥 버려,
다음에 또 사 줄게.

…응, 미안해.
잘 자.

그리고
영문을 알 수 없는
소리를 했다.

뭐가
미안하다는
거지.

물어볼까 고민했지만
그런 사소한 것까지
신경 쓸 정신은
사실 없었다.

다시
김재하를 불러서
또 약을 먹고,

많이 아파?

몇 번인지도 모를
'괜찮아'를 들었다.

오히려
미안한 건 나야,
김재하.

네가 계속
괜찮다고 해줘서 그런지
진짜 좀 나아진 것 같다고.

그러니까…
그냥 물어볼 걸
그랬나?

너 지금
무슨 생각 하고
있냐고.

짹
짹..

저벅

세이
일어났구나~
몸은 좀 어때.

덕분에
괜찮아졌어요.

돌봐주셔서
감사해요,
아주머니.

저벅..

어떤 얼굴을
하고 있냐고.

에이 뭘~ 난
한 것도 없는데.

가짜 동맹

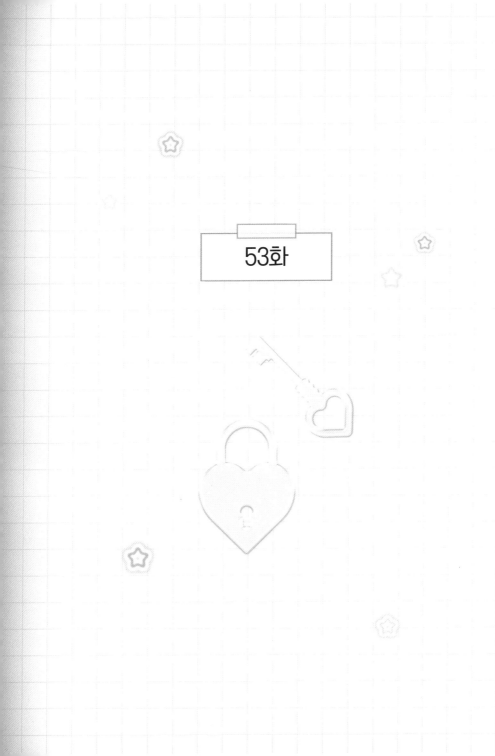

53화

안녕.

뭐야 너,
왜 여기…

움찔

왜 위에….

너 진짜
오래 잔다

몇 시간 전

짹짹.

세이
일어났구나~
몸은 좀 어때.

덕분에
괜찮아졌어요.

돌봐주셔서
감사해요,
아주머니.

에이 뭘~ 난
한 것도 없는데.

근데 웬일로
재하가 아직까지
자지?

아, 그게…

…어젯밤에 저를 진짜 많이 챙겨줬거든요.

그래서 아마 늦게 잤을 거예요.

아주머니 아들 정말 착해요

흠~ 역시 그랬구나.

부웅

지금 문 열었겠지? ? 응

급성 위염입니다 수액도 맞고 갈게요 ?

죽 다 먹으면 약 먹어라 아~

우리 등산 다녀올 테니까 푹 쉬고 있어!

또 아프면 바로 전화해라 ?

전 그럼 방으로…

응?

덥석

여보, 세이 일어났어~!

바로 가자.

…머리카락 부들부들한 거 봐.

진짜 강아지 같다

딍굴~

나 심심한데 언제 일어날 거야~

꼬옥..

어제 간호해줘서 고마워.

그리고 계속 네 위에 엎드려 있었는데?

일단 내려가.

왜~ 너 솔직히 별로 무겁지도 않잖아.

내려가.

계속 내 위에 있었다고…?

응.

윤세이….

좀 전부터 계속
엎드려 있어도
미동도 없던데…
싫어?

아, 좀….

슬금

슬금

자기야.

너, 너…

그런 말…

잘색

제발 좀
하지 마.

ㅋㅋㅋㅋㅋㅋ
ㅋㅋㅋㅋㅋㅋ

표정
진짜 웃기다

진짜
오글거려서
소름 돋고 싶음

아까
아주머니랑 아저씨가
이렇게 하시길래~
ㅋㅋ

자기야,
잘 잤어?

아, 원래
자주 그러셔….

하긴~
사이좋으시니까ㅋㅋ
근데 너 원래 주말에
뭐 해?

130

지금 시간이면
헬스장 갔어야 됐는데
내가 너무 늦게
일어났어….

한 주 정도
안 가도 돼~
나랑 놀자.

하고 싶은 거
있어.

어떤 거?

앨범 보고 싶어!
완전 갓난아기 때
찍은 걸로!!

아기•김재하
궁금해!!

음…
아기 때 사진은
없는데….

아기 때
사진이 없다고?

그래?
그럼 유치원 다닐 때
사진 볼래.

알겠어,
점심 먹고 보자.
이리 와.

죽 만들어줄게

유은아, 빨리 점심 먹어!

너 오늘 머리 자르러 미용실 간다며.

네, 가요~!

......

엄마, 나 머리 긴 게 나아?

응? 누가 뭐라고 했어?

만지작

이게 뭐가 어떻단 거야….

어둑

어둑‥

다녀오셨어요~

세이가
이거 좋아한다길래
사 왔다.

지금 먹어도

낫고 먹어.

잘 있었어?

와! 저 이 빵
진짜 좋아해요!
감사합니다!

네⋯.

재하는
좋겠네~

네?

왜요, 엄마?

⋯⋯

뚝 뚝

그러니까
작별 인사
하려고 왔지.

응,
윤세이, 왜?

나 이제 집에
가야 하잖아~

쭈뻣

쭈뻣

아쉬운 만큼
힘껏 안아줘.

빨리~

ㅋㅋ 많이
아쉽나 보다??

짜아

응….

음? 웬일로
솔직하게 말하네.

더 있어 달라고 부탁하면 고민해볼 수도 있는데~

…그냥 있어 달라고만 말하면 돼?

어~ 마음이 다 전해지게 정중하게 말해봐!

아님 아예 안아서 현관까지 옮겨주면서 말할래? ㅋㅋㅋ

윤세이….

응.

사실 나 아까 병원 갔을 때 집에서 짐 챙겨 왔어~! 속았지?

아주머니가 엄마 없는 이번 주말은 여기서 지내라셔서.)(

히죽

히죽

윤세이….

응, 나 사실…

멈칫

부탁 안 할래.

135

아까 아주머니한테 다 들었지.

웃음참는 거 다 보인다

ㅋㅋㅋ

하하하.

야!

이게 아주 나를, 하… 내려줘! 나 방으로 갈래!

진짜…

푸쉬쉬..

왜 놀려….

ㅋㅋ 미안.

살짝..

귀여워서 그렇지.

…?

자기도 모르게 말함.

…어?

방금 너,

나보고
귀엽다고

잘 자.

이제
방으로 가.

!

…너 때문에
마음이 바뀌었어.

귀엽…

귀엽…?

가짜 동맹

54화

팔 좀 놔줘.

어? 저기 너희 아빠가…!

!

ㅋㅋㅋ
거짓말이야.

하…

히죽

히죽

너 오늘
아침부터 진짜
왜 그래.

갑자기
같이 있고 싶어져서
그러는데?

네가 나
귀엽다며.

……

그러니까
놀아줘야지~
진짜 심심해.

…뭐 하고
놀고 싶은데.

둘 다 숙제
잘 해왔네~!

다들 방학하면
노느라
잘 안 해오던데,

우리
세이랑 재하는
참 착실해~!

난 보드게임 하면서
놀고 싶어,
내가 귀여운 재하야

알았으니까
그만 놀려

……

어제 보드게임 하느라
숙제 안 해서
재하 거 베껴온 사람

베끼라고
준 사람

143

잘했어, 잘했어~!
자, 과외 시작하자.

자~
오늘은 여기까지 하자.
수고했어, 얘들아.

우리 카페 온 김에
아예 숙제 끝내고
들어갈래?

그래.

그럼 나
화장실만
다녀올 테니까,
같이 숙제하자.

쏴아~

뭐 이런 것도
기사로 나와.

왜~

촬영 길어져서
결혼식 날짜 미룬다는
내용인데 이게
1위 기사야.

누군데 그래?

진설아.

까똑

김재하 나
통화 좀 하고 갈게

중요한 내용이라
오래 걸릴 수도 있어

145

응, 그냥 엄마가 귀국이 한 달 정도 늦어진다고 하셔서….

당분간 병원도, 학원도 아저씨랑 가래…흥

갑자기 한 달이나?

괜찮아~ 이런 적 많아! 그리고—

—너 있잖아~! 너랑 있으면 안 심심해.

오늘도 보드게임 할까?

숙제 빨리 끝내고 돌아가자!

……

응….

재하야, 이거 세이한테 좀 갖다줘.

네~

뚝뚝

고요..

윤세이...?

슬금

왜 그래?

왁!!

음~ 별로
안 놀라네.

...이거
너 갖다주라셨어.

와삭

맛있다, 너도
같이 먹고 가.

와삭

미안, 엄마가
부탁하신 게 있어서
다시 가봐야 돼.

멈칫

아,
그리고 엄마가
원하시던데…

너희 어머니 오실 때까지
우리 집에서 더 지내는 게
어때…?

아직 몸도 다 안 나았고 여러모로 우리 집이 지내기에 더 낫지 않아?

물론 네 선택이긴 한데

아주머니가 그러셨다고?

응, 엄마도 너랑 있으면 즐거우셔서 더 같이 있고 싶으신 것 같으니까 문제는 없어.

널 좋아하시잖아

엄마도?

역시 너지?

네가 처음부터 당분간 내가 너희 집에 있게 해달라고 했지.

내가 아저씨 불편해하는 걸 알아서.

텁석

아…

…어.

그럴 것 같았어

계속 지내는 건 너무 민폐니까 병원 다닐 동안만 있을게.

… 고마워,
신경 써줘서.

넌 진짜
매번 나한테
좋은 사람이구나.

살짝..

짠

그러니까
내가 보답으로
소원 하나 들어줄게!

갑자기?

아, 생각할 시간이
필요한가?
그럼 그건
나중에 말하고,

음… 그래!
하고 싶은 말
아무거나 해도
들어줄게. 화도 안 낼게!

……

뭐든
말해야 할 것 같은
표정

…아,
그럼,

아팠을 때
나 기다려줘서,
그리고 나 때문에…

설마 고맙단 말
하려고 그러나?

얜
왜 이렇게
착해

더 고생한 것
같아서 미안해.

응?
너 할 말 없어서
그냥 말한 거지.

야,
그런 상황에선 그냥
고맙다고 말하면 되지!

특이한 사람이네~

…진짜로
미안하다고
생각해?

그러고 보니…

그저께
내가 아플 때도
비슷하게 이해 안 가는
말을 했었는데….

진짜 그렇게
생각하는
건가.

나 좀
이해 안 가는 게
있어.

우물

우물

뭔데.

넌 왜
너만 날 걱정하고
기다릴 수 있다고
생각해?

가만 보면 꼭
그래야만 하는 것처럼
행동하더라.

전부터
궁금했어

와삭

어…?

150

네가 나한테 그렇듯이
나도 너한테
좋은 사람이고 싶어.

그러니까,

왜 나 때문에
이렇게까지 해….

왜 나 때문에
이렇게까지 하냐는 말은
앞으로 하지 마.

그런
뉘앙스의 말도!

네가 먼저 그랬잖아,
우린 그런 거 묻는
사이가 아니라고.

움찔

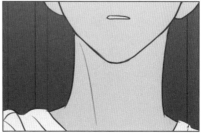

…나는

…맞다!

너 아주머니한테
가야 한다고
하지 않았어?

내가 너무
붙잡고 있었네

아,
끼어들어서 미안.
하려던 얘기
하고 가.

……

?

잘 자.

별거 아니었어.
신경 쓰지 마.

그럼
이제 보내줄게~
나갈 때 불 끄고
가줘.

왜
멍하게 있어,
빨리 가~

아주머니
기다리시겠다

어….

그리고
김재하,

넌 왜
너만 날 걱정하고
기다릴 수 있다고
생각해?

가만 보면 꼭
그래야만 하는 것처럼
행동하더라.

왜냐고?

날 싫어할 만한 일이
아예 없었으면
좋겠으니까.

153

내가 이러는 건,
오랜 시간 혼자만
좋아한 탓도 크다.

그래서 네가 나한테
하는 말들이
적응이 안 돼.

말하고 나니
괜히 민망함

아무렇지 않은 척만
하기도 점점
힘들어진다고.

나도 너한테
좋은 사람이고
싶어.

특히 오늘
들었던 말들엔 더.

왜 나 때문에
이렇게까지 하냐는 말은
하지 마.

난 한 번도
이런 말을
들어본 적이 없어.

네가 먼저 그랬잖아,
우린 그런 거 묻는
사이가 아니라고.

이런 말까진
상상해본 적도 없어.

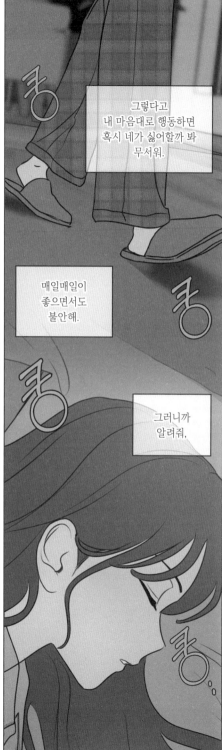

그렇다고
내 마음대로 행동하면
혹시 네가 싫어할까 봐
무서워.

매일매일이
좋으면서도
불안해.

그러니까
알려줘.

네가 그럴 때마다
난 어떻게 해야 돼?

벌컥

제발….

끼익…

세이야.

세이야, 자?

슥..

…진짜 자?

쪽

잘 자.

끼익;

김재하….

…나
안 자.

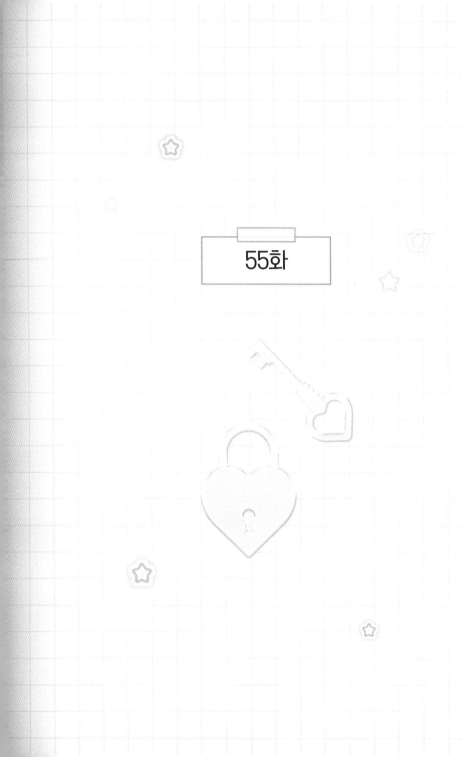

55화

살랑..

좀 쌀쌀한데
창문 닫고 올까?
아냐… 졸리다.

벌컥

응? 김재하,
뭐 놓고 갔나 봐.

자는 척하다가
놀라게 해야지.

위!

세이야.

세이야…?

잠깐,
얘 방금…

세이야, 자?

어?!

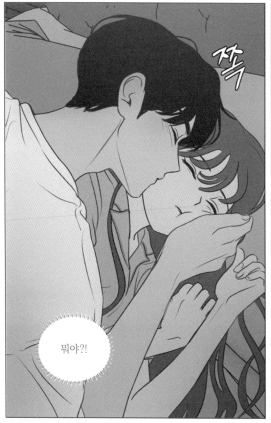

쪽

뭐야?!

잘 자.

지금 이건
어떻게 생각해야
되냐고…!

끼익

김재하….

…나
안 자.

누군가의
숨소리가,

아….

그리고
시선이…

이렇게
신경 쓰였던 적이
있었나?

……

재하야,
어디 있어?

!

김재하~

너
부르신다….

…나도
다 들려.

엄마
도와준다며.

빨리 내려와~

하아….

일단 가봐.

다음에…

!

쪽

응,
다음에 해.

저벅

저벅..

끼이이

달칵

두근

두근

하….

하하…

두근

이게 뭐지….

두근

방금 진짜
뭐였지….

잠깐 통화 좀 하느라 늦었어요.

뭐 도와드리면 돼요?

아~ 엄마가 손가락을 다쳐서 글씨를 예쁘게 못 쓰니까 불렀어.

선물할 과자들 포장하면 네가 그 위에 여기 적힌 문구 옮겨서 적어줄래?

귀찮게 해서 미안해, 아들~

아니에요, 금방 해요.

쪼르르..

당신 오늘도 일이 많아?

어, 오늘은 먼저 자.

기다릴래~ 나도 오늘 할 일 많아.

그래, 그럼….

세이는 약 먹었대?

네, 제가 챙겨줬어요.

킁킁

잘했다.

165

당신 왜 웃어?

아냐아냐, 가서 일해.

네 아빠랑 너랑은 부끄러워하는 모습이 똑같다!

좋으면서 표정은 맨날 뚱해.ㅎ.ㅎ.ㅎ

어떻게 그런 것까지 닮았지?

제가 부끄러워하는 모습이 아빠랑 닮았다고요?

응~ 그런 부분까지 닮은 거 보면,

넌 진짜 우리 아들이 될 운명이었나 봐.

제가 운이 좋았어요.

그런 말 하지 말라니까.

참, 세이는 잔대?

끼이.

그럴걸요, 잘 모르겠어요…

166

아까 같이 안 있었어?

… 그냥 과자만 주고 나왔어요.

세이가 그러는데 네가 요즘 장난도 종종 친다며.

너 보고 유치하다던데 너 진짜 세이가 편한가 보다?

둘이 같이 있으면 주로 뭐 해?

……

엄마.

응?

글씨가 잘 안 보여서 안경 좀 가져올게요.

달칵..

…편한가?

그건
아닌 것
같은데.

벌컥

저벅

저벅.

왜 이젠 네가
못 본 척하냐.

잔다며.

잠이 안 오니까
그러지.

밤이라
쌀쌀하니까
조금만 있다가
들어가.

......

...윤세이, 이게
뭐 하는 거야.

잠이 안 와서
그런다니까?

왜 잠이
안 오는데.

아파

네가
아까 방에 들어와서
자냐고 물어보면서
잠 다 깨우고,
나한테 뽀뽀하고….

나 가볼게.

그래서
기다렸어.

방으로
다시 올까 봐.

왜
사람 당황스럽게
뽀뽀나 하고
튀냐고~~~

또
놀리려고 이러지?
나 진짜
가야 된다니까.

그런 거
아니거든.

꺄악

내가 하는 말은
다 장난인 줄
알지?

그럼 뭔데.

재하는
벌써 다 끝내고
들어갔어?

아니,
글씨 안 보인다고
안경 가지러 갔어.

좀 전에
갔으니까
곧 올걸?

…너한테
물어보고 싶은 게
있어서.

우선 여기
커튼 뒤로 와,
밖에서
안 보이게….

기다렸다고
했잖아.

혹시 지금
가야 돼?

……

살짝.

…너랑
키스하고 싶어.

…넌 방으로
다시 올 생각
안 했어?

……

했어.

가짜 동맹

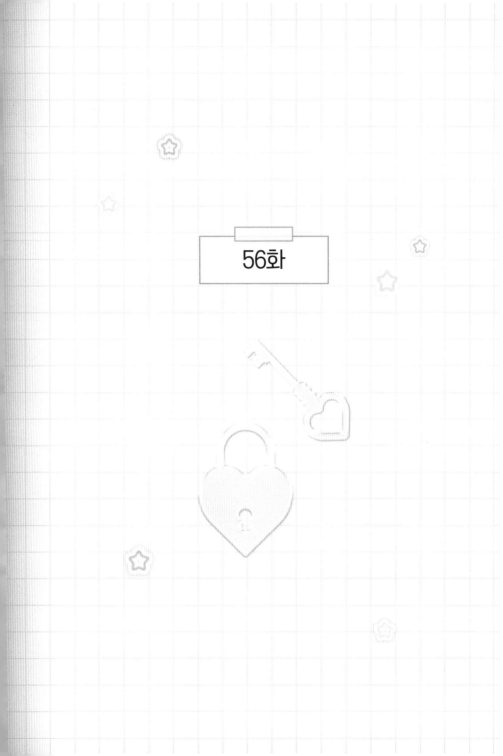

56화

안 돼, 아주머니가
이쪽으로 오시려나 봐.

그만둬야
하는데,

재하야,
여기 있어?

재하야?

그만둬야
하는데….

잘 자.

아주머니 목소리가
가까워지기 직전에
급하게 떨어졌다.

등 뒤로 시선이
느껴진다.

재하야,
너 베란다에서
혼자 뭐 해?!

아….

힐끔

어떤 얼굴을 하고
내 쪽만
바라보는 걸까.

…그냥
서 있었어요.

낮에 커피를
너무 많이
마시지 말걸.

그랬으면
좀 더 빨리 잘 수
있었을까.

뒤척..

빨리
잠들 테니.

180

안녕히 주무셨어요!

와, 맛있겠다!

그래~ 아침 먹어, 세이야.

세이는 완벽하게 나을 때까지 죽 먹어라.

넵.

왜?

!

재하는요?

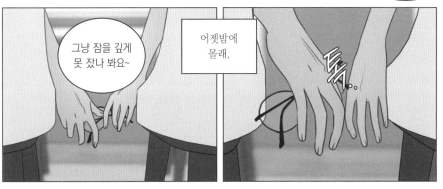

김재하…
이번에도
아무렇지 않은 척
하기는!

잘 먹었습니다~!

!

윤세이.

응?

너도
신경 쓰고 있는 거
이젠 다 알거든.

또
귀만 빨개.

내일은
학원 안 가지.

어,
그렇긴 한데…
왜?

그럼 우리
놀이공원 갈까?

!

전에
가고 싶다고 해

좋아!

내일 꼭—

—가자….

?

소곤...

응.

그래그래.
학원 갔다 와서
얘기해.

방금
눈 피한 거
티 안 났겠지?

꺄아아아ー!

슈우우ー

나 방금 물 샀어!
아직도
줄 서는 중이야?

기다릴 테니
천천히 와!

보고 가세요!
남자친구랑
같이 차면 예뻐요~

네…?

아, 남자친구랑
온 줄 알았어요~
친구랑 차도
예뻐요.

쭈뼛

아… 그게 아니라
맞아요, …남자친구.

남자친구….

쭈뼛

맞지?

그냥
말해보자.

저… 혹시
〈나는 슈퍼우먼이다〉에
나왔던 세이 맞죠? 진설아씨 딸로
출연한…

어? 네~!

진짜 팬인데 혹시 사진 한번만 같이…

요즘 너튜브에 다시 뜨잖아요~

당연히 괜찮죠, 같이 찍어요!

살 칵

감사해요~ 슈퍼우먼 친구들이랑 아직 연락해요?

네~ 연락하는 애들도 있어요!

전에 애들끼리 사귄다는 글도 본 적 있는데 진짜예요?

어… 그건 잘 모르겠어요.

에이, 아니겠지~

근데 진짜 많이 컸다, 아까 얘기하는 거 보니까 남자친구도 있고~ 맞죠?

?

……

재하랑은 연락해요? 팬이어서요.

따다

네? 재하랑 연락해요?

따닥

엄마!

헉

응? 없는…

뭐지?

갑자기 사라졌어….

죄송해요. 전 그냥
조용히 지내고 싶은
사람이라서,

다급

김재하, 빨리
이쪽으로…!

프로그램을 보고
저흴 알아보는 사람은
조금 부담스러워요.

아, 왜
안 가시는
거야~

삐꼼

왜냐하면—

—그 '재하'가
제 남자친구거든요.

…우릴 너무
잘 알아보는 사람이
있어서 숨은 거야.

우리 사이
알려지면
부담스럽잖아

알아, 아까 멀리서도 들렸어.

너무 가깝나.

그래도 이렇게 마주 보는 자세보단 편하…

…지?

응.

……

그리고…

전 이제 걔가 절 어떤 눈으로 보는지 조금은 더 잘 알게 됐어요.

이게 다 그날 밤 때문이야.

자꾸 생각나니까 가까이 있을 때 눈을 못 마주치겠잖아!

이상한 생각은 네가 한 거 아니야?

하하… 이상한 생각 하지 마.

주변에 숨을 데가 여기밖에 없었어.

옆에 나무 있어서 비킬 수도 없다고

안 해.

진짜야? ㅋㅋㅋ 난 또 잘 때 뽀뽀했을 때처럼 나 몰래 한 줄 알았지.

또 장난친다.

……

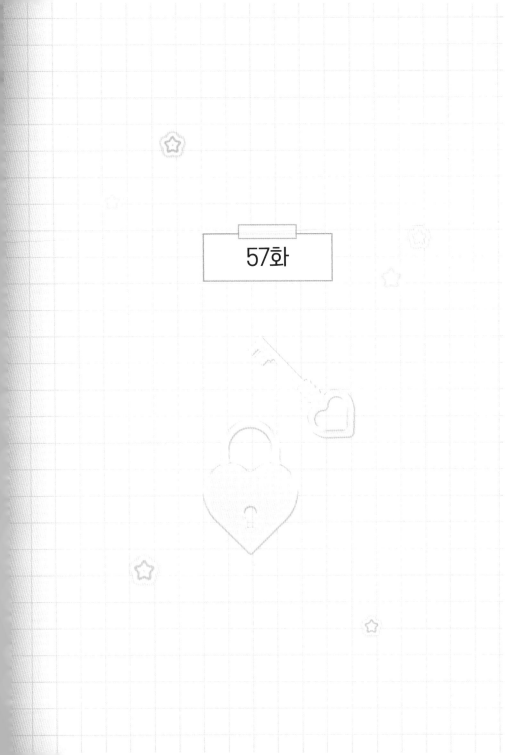

57화

…진짜로?

그…

그래, 했다!

꺄악

하지 말라는 법도 없잖아?

훽

아까 그분들 가셨는데 안 갈 거야?

타탓

지금부터 줄 서야 인기 있는 거 탈 수 있을걸?

……

가….

아, 김재하.
나 물품보관함에
가방 맡기고 갈래!

하하하하!

너만 표정
복붙한 거 같아
ㅋㅋㅋㅋ

재밌었던 거
맞아?

응.

*두 사람은 무서운 영화나
무서운 놀이기구를
좋아합니다 ♡

힐끔...

간식을 엄청
좋아하나 봐

응

저기 앉은 애
진짜 귀엽다!

쓰고 있자~
이래야 커플
같잖아.

......

어?
이거 봐봐.

유은이
머리 잘랐네.

유은

야, 원지민.

너 안 부르면
다음 곡으로
넘긴다.

ㅡ아,
기다려.

쨍..

생각보다
별로
안 무서웠어!

역대급
귀신의 집이랬는데

그러게.

이번엔 좀
잔잔한 거 타볼까…
회전목마 어때?

너 오줌쌌어…?

좋아.

근데
김재하…

저 애
나만 신경 쓰이는 거
아니지?

안녕!
이름이 뭐야?

박우진이요.

…어,
좀 전에 줄 섰을 때부터
계속 혼자 앉아 있었어.

우진아,
왜 계속 여기에
혼자 있어?

엄마가 회전몽마 앞에서 기다리면 금방 온다고 했어요.

응? 회전목마는 여기가 아닌데….

울먹.

그럼… 그럼 어떻게…

울먹.

잠깐, 울지 마…!

와, 퍼레이드 하나 봐!

우리가 마침 회전목마로 가는 중이었으니까 데려다줄게!

빨리 가자….

갑자기 가기 싫어요.

으아아아!

우진이 어머니 기다리실 수도 있으니까 딱 2분만 보고 가는 거야.

응!!

우진아, 안 보여?

끼요

끼요

같이 있을수록
난 점점 들뜨기만
하는데,

같이 봐줘서
고마워,
넌 재미없지.

넌 거의 매번
나한테 맞춰주려 하니까
미안하기도 해.

아니야,
재밌어.

장난

ㅋㅋㅋ재밌다고?
나랑 같이 있어서? ㅋㅋ

저 비눗방울은
엄청 크네!

너무 떨어져서 섰다,
남자친구한테
더 붙어 보는 게 어때요?

남자친구….

쭈뼛

쭈뼛

더 붙어요!
손도 좀 잡고~

너 왜 일부러
나 안 봐?

원래
사진 찍으려면
앞 봐야 돼.

자, 찍을게요!

텁석

!

엄청 오래
기다렸는데…
아직도 안 오시네.

우진아,
배고프지?
누나가 뭐 좀
사 올게.

내가 갈게.

아냐, 김재하.

내가 가는 게
나아 보이지 않아? 너희
언제 그렇게
친해진 거야

찰싹

…아, 그럼 난
우진이랑 여기서
기다리고 있을게.

목마 태워서
곰덕 보여준
너무너무 좋은
형아!!

쫑알

형아, 있잖아요.
오늘 엄마가
아이스크림도 사 주고,
사탕도 사 줬어요.

원래는
절~대 안 사 주는데
오늘은 다 사 주고
놀이공원도 데려와서
너무너무 기뻐요!

쫑알

애기들은
가만히 있어도
계속 자기 이야기 한다?
쫑알쫑알~

왜 웃어요?

아니야ㅋㅋ

우진아, 엄마가
몇 시까지 온다는
말씀은 안 하셨어?

우리랑 있기 전부터 앉아 있었던 거 보면 오래 기다린 것 같은데….

응, 그냥 금방 온다고 하셨어요.

이상하네, 아이 찾는 방송도 안 들렸는데.

그래?

진짜 다른 말은 하나도 안 하셨어?

음…

사실은… 우리 엄마가 다른 사람한테는 말하지 말라고 했는데,

응.

형은 좋으니까 말해줄래요!

그냥… 미안하다고, 잘 지내라고 그 말만 엄청엄청 많이 했어요.

그리고 먹고 싶은 거 다 사 주면서 이 말은 비밀로 하래요.

……

갑자기 미안하다고 했다고?

네~ 비밀이니까 형도 다른 사람한테 말하면 안 돼요!

아, 근데요, 형아.

형아도 혹시 비밀 같은 거 있어요?

휘이.

"이건 우리끼리의 비밀이야."

"프로그램에
출연하는 순간부터
그 이야기는
입 밖으로 꺼내면 안 돼."

사앙아..

"이유는 너도
잘 알지?"

글쎄….

"들키면
네 약점이
될지도 몰라."

진짜진짜로
약속한 거지?

포옥..

나
하고 싶은 거 있는데~
내가 이거 사 왔으니까
해도 돼?

그래,
뭔데?

자,
우진아

아~
별건 아니야.

...대체
뭔데 그래.

아싸!
그럼 나 오늘
네 방에서 잔다.

...어?

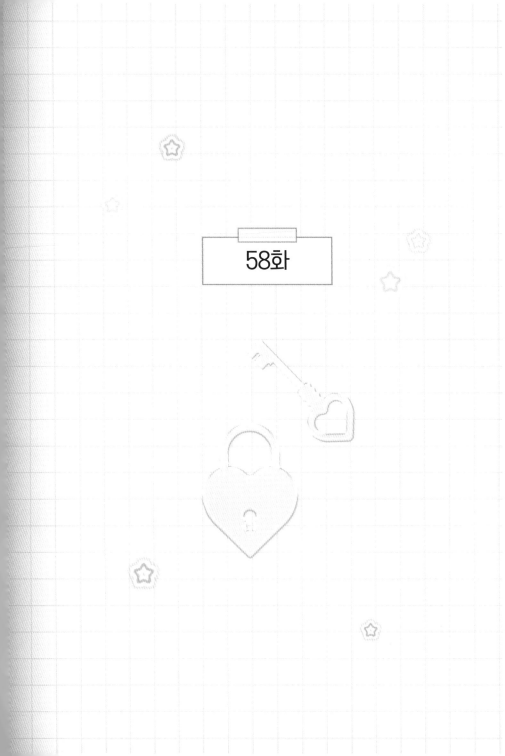

58화

전부터 느꼈는데,
너랑 안 지는
오래됐지만

아직도 난 너한테
궁금한 점이
많은 것 같거든.

네가 놀이기구 타기를
좋아하는 것도
오늘 처음 알았어.

그래서 너희 집에
머무는 동안 한번쯤은
밤새 얘기해보고
싶었는데…

내가 말을 너무
이상하게 했나?

어감이 좀 그런 것
같기도 하다…

…어, 알아.
무슨 말인지.

근데
오늘은 좀.

특히
방에선 좀…

다음에 해,
다음에.

꼭

그래!
약속이니까
다음에 꼭
하는 거다?

혹시
집에 가기 전에
마음 바뀌면
얘기해!

난 오늘
얘기하고
싶거든

......

가자,
우진아.

미아
보호소

방송도 했는데
아직 어머니 연락이
없으시나요?

네…
학생들은
할 일을 다
했어요.

이미
많이 기다렸으니
이제는 우리가
데리고 있을게요.

놀러 왔는데
정말
고생 많았어요.

우진아,
우린 갈게.
잘 있어. 엄마 곧
오실 거야

엄마…!

혁

혁..

김재하,
가자!

어….

후다닥

우진아….

급한 일이 생겼다고 해도
애를 몇 시간 동안 혼자 두고
가시면 어떡해요?

……

우진아, 이제 가자~
미안해,
앞으론 안 그럴게.

엄마,
나 이 형이랑
인형 옆에서
사진 찍고 가면
안 돼?

누나랑은
좀 전에 찍었는데
형이랑은
못 찍었어.

찍고 와, 김재하.
기다릴게!

…아, 긴 시간 동안
아들이랑 같이 있어줘서
고맙습니다.

제가 사정이 있어서
어쩔 수가 없었네요….

…네.

엄마 또
어디 가면 안 돼!

엄마가
어딜 간다고
그래~

211

형, 빨리 와!

응, 갈게.

쑤꾼...

근데 아무리
사정이 있으셨어도…

네…?

버리시면
안 되죠.

폰을 잃어버려서
연락을 못 하셨다고 했는데…
가방 안에 보여요, 핸드폰.

움칫

그리고
잃어버렸다고 해도
연락은 하셨겠죠.

왜 평소에
사 주지도
않던 것들을
안겨주시고,

미안하단 말만
남긴 다음 그냥
가버리셨어요?

…너무
확실하잖아요,
이건.

더듬

나는…

더듬

난, 가진 것도
없고…

소곤

그래도
난 돌아왔어요…
그러면 된 거죠,
안 그래요?

……

그래,
다른 사람들은 어차피
이해 못 해요.

나도 어쩔 수가
없었단 말이야.

…네,
사람들에게
말하진
않았어요.

…비밀로
해줘서
고마워요.

그러니까 이젠
그러지 마세요.

그렇게 가시면
평생 기억하고
기다릴지도 몰라요.

아…
그랬군요.

어차피
금방 오실 거였으니
너무 자책하지
마세요~

자, 찍습니다~

우진이가 저를
많이 찾던가요?

음~
처음엔 그랬는데
그래도 씩씩하게
잘 기다렸어요!

사과도 하셨고,
충분히
좋은 엄마신걸요.

제가
좋은 엄마
같아요?

네!

학생은
정말…

…착하고
순수하네요.

근데 보기만 해서는
그 사람이
어떤 사람인지
알 수 없을걸요.

그 사람이
말하지 않는 이상
남은 절대 모른다고요….

펑!

김재하, 저거 봐.
우진이랑
우진이 어머니도
보러 오셨나 봐!

둘이 만나서
진짜 다행이야,
그치?!

퍼레이드
잘 안 보이지.

진짜로
누군가에 대해서
잘 안다고 생각하는 건,

착각일 뿐인
걸까요.

아, 김재하! 우리 저 위로 올라갈까?

반뜩

아까 보니까 의자도 있던데 앉아서 보자.

지저분..

아… 오늘 왜 이러냐,

한 사람밖에 못 앉겠네.

한쪽 빼고 다 더러워

……

…야, 진짜 이렇게 봐?

응.

너 다리 안 아파?

응, 괜찮아.

맨날 다 괜찮대.

아까 기분 별로인 것 같았는데.

원래 회전목마 타고, 김재하가 좋아하는 게임VR존 가려고 했으니 그럴 만도 하지.

저녁엔 운영 안 해요, 좀만 더 빨리 오시지.

지금이라도 재밌게 해줄 순 없나?

오늘 재밌었어.

!

진짜???!

응.

나도 오전에 놀이기구도 많이 타고,

너랑 퍼레이드도 두 번이나 같이 봐서 좋았어.

응.

나도
같이 있어서
좋았어.

흠칫

쿵덕

요즘
왜 이렇게 솔직하게
말을 잘하는 거야.

적응 안 되게!

쿵덕

?

털썩

뻔뻔한 놈.

야,
김재하.

응?

…오늘 왜
향수 뿌렸어?

아…

그냥,

너랑
놀러 가는 날
이어서.

이상해?

!

아니,
그런 말이 아니라!!
안 이상해!

나도 그래서
너 만나는 날에
향수 뿌린 적
있는데…!

누가 나를
이렇게 대할 수
있다는 걸 안 건,

김재하가
처음이다.

여자친구…
인데.

그래서
노력해도 항상
적응이 안 돼.

또 혼자만
아무렇지
않게…!

아… 그게 아니라
맞아요, …남자친구.

매일매일이
서툴러.

여자친구…
인데.

서로 좋아한 진
오래됐지.

나도
같이 있어서
좋았어.

근데
넌 그런 생각
잘 안 하잖아.

펑

나도 그래서
너 만나는 날에
향수 뿌린 적 있는데…!

아니면 이것도
그냥 내 착각이야?

혹시,
사실은 너도
매일이 나처럼…

펑

펑

나처럼….

아, 그냥
그렇다고….

!

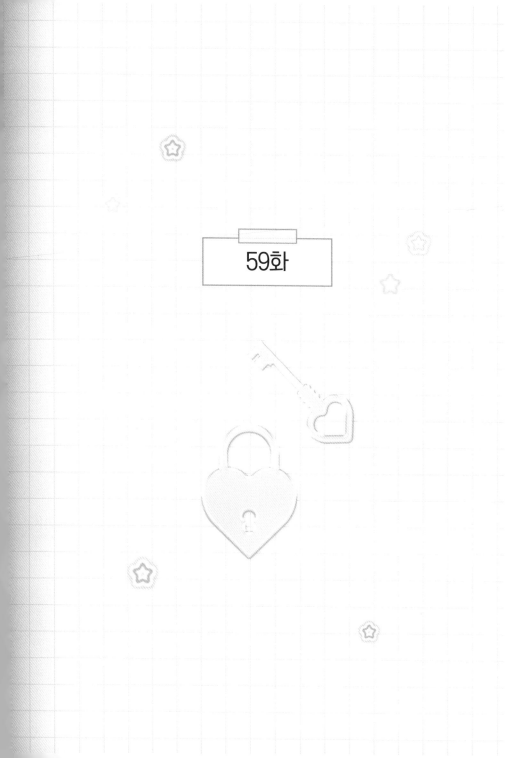

59화

꽝...

엇...?!

미안,
아팠어?

나도 모르게
세게...

조금 아팠어,
괜찮아.

빌떡!

가만….

야, 김재하. 너 그럼
예전에 나랑 안 사귈 때
영화관 간 적 있잖아.
치민이랑
유은이랑…

혹시 그때도
향수 뿌렸어?
그때 뭔가
평소랑 달랐는데!

응.

!

그럼
그때도 날….

나한테
잘 보이고
싶어서?!

훽

조심해

……

226

너 진짜
웃기다.

그리고…

귀여워.

내가 일부러
눈 피한 게
아닌 건 알지?

김재하,
응?

......

알아.

야, 이제
안아도 돼~!

좀 전에
아프다고 해서.

이젠
세게 안지도
않을 거면서.

번뜩

근데
지금 몇 시지?!

열 시….

문 닫기 전에
인형 사격
하고 싶었는데!!!

다음에
또 오자.

인형 사격장
우리 동네에도 있던데
나중에 가볼까?

좋아,
대신 아쉬우니까
이따 네 방에서 놀면

생각해봤는데
오늘은
진짜 안 되겠어.

진짜
잘 봤다!

오늘 쪽지 시험
어려웠잖아,
축하해!

응…
고마워.

이제 성적 오르기
시작한 것 같은데
진짜 그만둬도
되겠어?

괜찮아,
그보다 너한테 좀
미안하다.

내가 소개시켜준
학원인데
내가 그만두니까…

뭐 그런 걸로~
신경 쓰지 마!

잘 가!

원지민.

나 학원 이번 주까지만 나온다.

? 어, 그래. 잘 가라. 그걸 나한테 왜…

근데 그만두는 날에 처음으로 쪽지 시험 다 맞았어.

자랑이야?

어, 그래. 축하…

그동안 도와줘서 고마워.

알긴 아네~

고마우면 보답해.

톡톡

진지

어떤 걸 원해.

야, 장난이야, 장난.

장난도 옷 받냐?

GAME PLAZA

탕!

아~ 아까워!

조금만 더 하고 진짜 스터디 카페 가자!

놀이공원에서 못해서 너무 아쉬웠어

응, 편하게 해.

기다려, 김재하.
이 누나가 꼭
맞히는 걸 보여주지!

무슨
누나….

자, 선물!

…나 주려고
딴 거였어?

잠깐!

?

여기! 이제
가져가도 돼.

고마워,
근데 귀에
이건 왜….

아~

좋아.

엥?!

삐~

유은이가 누구랑 같이 있어!

남자애랑 둘이서만 있는 건 처음 보는데….

설마 남자친구일까?!

소곤..

글쎄.

아니겠지?

……

학생이 무슨…! 지금 연애를 하겠어.

그러면서도 친구의 연애 사정이 궁금함

두근

두근

근데 다정해 보이긴 하네.

어? 고개 돌린다.

소곤

… 지민이?!

이 ㅁ친.
뭐라는 거야,
김재하…!

좀 전에
네 입으로
누나라고
했잖아.

그러니까
이제 가자고,
누나.

너 내가
오빠라고 한 거
복수하냐?

계속 그러면 확!
여기서 해버린다!

일으켜주지.마!

뭘….

가만히 있어!

잠깐만~
응?

알았어.

가짜 동맹♡

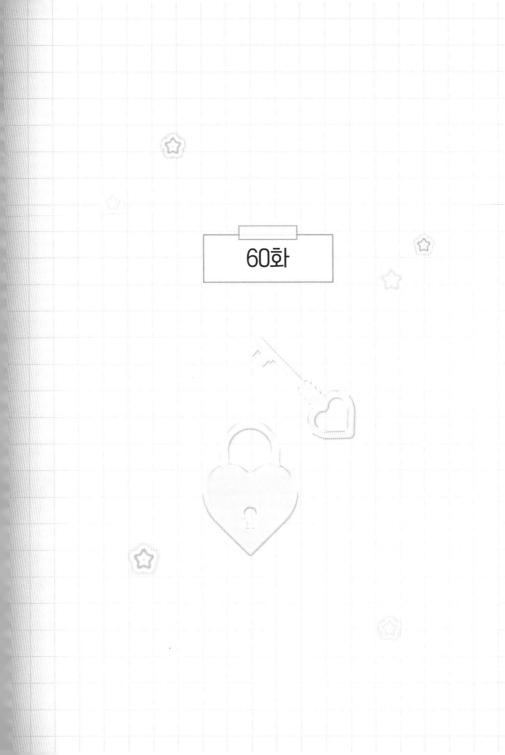

60화

유은아,
안 가?

기다리는 사람이
있어서.

누구?

얘.

나?!

야, 진짜 이걸로 돼?

저벅 저벅

어~ 지금 먹고 싶은 건 이거밖에 없는데.

네가 지금 먹고 싶은 걸로 말하라며

겅중

너 진짜 이거 사 주려고 기다린 거야?

네가 보답하라고 했잖아.

장난이라고도 말했다~

알았어, 알았어. 가지 마!

고마워서 그런 거지~ 보답할 줄도 알고, 유은이 참 착하다!

야, 그딴 식으로 말하지 마.

머리 자른 것도
잘 어울리고.

사락

잘 가,
이제 만날 일
없겠네.

학원
그만두니까

썩

어….

아,
이게 아니지.

…?

슥

…이거 맞아?

톡..

응,
진짜 인사는
이렇게 하는
거랬어~

오늘
왜 그러는 거야,
김재하!

왜 또
입을 꾹 다물어!

아니… 윤세이,
그게 아니라
여기….

…진짜
세이네.

……

아~
악수하려던
거였구나!

난 또 둘 사이에
내가 모르는 뭔가
있는 줄 알았지!

전혀 없어.

미안해~
그래도 이렇게 된 김에
같이 공부하니까 좋잖아!

오늘 공부할
생각은 없었는데
어쩌다….

이거 왜
이렇게 되는지
아는 사람.

김재하, 저거
네가 전에 나한테
알려준 문제 아냐?

네가
알려주면 되겠다!

응.

유은아,
줘봐.

아, 고마워.

나한텐
오늘에서야
고맙다고 하지
않았나.

쯥

세이는
이런 상만 끌어들이는
힘이라도 있나 보네.

왜 그렇게 봐?

걔 남친

좋아했던 사실
아는 사람

좋아했던 애

ㅅㅂ.

아….

너흰 사귀어도
공부만
하는 것 같아서.

방학인데
어디 갈 계획은
없어?

안 그래도
물놀이
가고 싶었는데!

그럼
우리 넷이 갈까?
바다 어때?

……

아니, 나까지
껴서 가자는 말이
아니라…!

그래,
둘이 다녀와.

그치만 곧
방학도 끝나가니까
따로 시간도 없고

무엇보다 내가
김재하랑 사귀기 전에도
우리는 친구였잖아.

난
그래서 다 같이
놀고 싶었던 건데,
싫어…?

…바다가
가고 싶어?

응! 거기선
전에 너희가 본
행동 같은 것도
안 할게.

*4권 89쪽 참조

절대 손잡지도,
안지도,
뽀뽀하지도

그만해,
윤세이…!

그럼 난 원지민이 가면 간다.

아니, 왜?!

커플 사이에 낀 느낌은 싫으니까 가려면 너도 가야지.

근데 안 갈 거지?

네 생각은 다 안다는 표정

......

아니, 갈 건데?!

그러게 왜 일부러 가겠다고 우기냐.

난 유은이랑 친하니까 가야겠다, 바다!

뭐?!

우리 내기하자!

그냥 가,
한번 지나간 건
무를 수 없어.

......

…알아,
빨리 가자.

아… 미안.

너 나랑 같은 버스 탄다고.

찾았다!

김재하,
네 말대로
회색이었네.

내가 졌어,
하….

풉.

왜?

이 결혼식 사진,
아저씨랑 너랑
너무 닮았어!!

…아빠?

응ㅋㅋ
아저씨 옆에
계신 분은 누구셔?

석

자,
이제 때려!

아,
할머니랑도
닮았다.

고모.

넌 고모랑도
되게 닮았다~

응?
큰아빠랑도…!

그만해.

고양이 색 내기
네가 이겼잖아.

네네~ 그럼
사진 확인도
끝났으니…

빠짝

빨리 때려!

됐어,
이 내기도 네가
멋대로 시작한
거면서.

근데

이미 시작한 건
확실하게 해야지!

난 괜찮다고!

에이~
그땐 이유가
있었잖아!

그날은
네가 키스해서
늦게 잔 건데.

잘 자.

왜 그동안
눈치 못 챘을까.

재도 나처럼
적응을 못 하고
있다는 걸.

......

위잉

어둑
어둑..

잘 안 보여.

......

화
악

258

★ 5권에서 계속 ★

가짜 동맹 4

초판 1쇄 인쇄 2024년 12월 20일
초판 1쇄 발행 2025년 1월 6일

지은이 케넘
펴낸이 김선식

부사장 김은영
제품개발 정예현, 윤세미 **디자인** 정예현
웹툰/웹소설사업본부장 김국현
웹소설팀 최수아, 김현미, 여인우, 이연수, 장기호, 주소영, 주은영
웹툰팀 김호애, 변지호, 안은주, 임지은, 조효진
IP제품팀 윤세미, 설민기, 신효정, 정예현, 정지혜
디지털마케팅팀 신현정, 신혜인, 이다영, 이소영
디자인팀 김선민, 김그린
저작권팀 성민경, 윤제희, 이슬
재무관리팀 하미선, 김재경, 김주영, 오지수, 이슬기, 임혜정 **제작관리팀** 이소현, 김소영, 김진경, 박예찬, 이지우, 최완규
인사총무팀 강미숙, 김혜진, 이정환, 황종원 **물류관리팀** 김형기, 김선진, 박재연, 양문현, 이민운, 이준희, 주정훈, 채원석, 한유현
외부스태프 하마나(본문조판)

펴낸곳 다산북스 **출판등록** 2005년 12월 23일 제313-2005-00277호
주소 경기도 파주시 회동길 490
전화 02-702-1724 **팩스** 02-703-2219 **이메일** dasanbooks@dasanbooks.com
홈페이지 www.dasan.group **블로그** blog.naver.com/dasan_books
종이 한솔피앤에스 **출력·인쇄·제본** 상지사피앤비 **코팅·후가공** 제이오엘엔피

ISBN 979-11-306-4823-1 (04810)
ISBN 979-11-306-5056-2 (SET)

다산북스(DASANBOOKS)는 책에 관한 독자 여러분의 아이디어와 원고를 기쁜 마음으로 기다리고 있습니다.
출간을 원하는 분은 다산북스 홈페이지 '원고 투고' 항목에 출간 기획서와 원고 샘플 등을 보내주세요.
머뭇거리지 말고 문을 두드리세요.